清 潔

検 査

せいけつ

けんさ

原因

食べすぎが原因で、おなかが痛いです。

眼科

げんいん

がんか

血 液

採 血

血をとることです。

けつえき

さいけつ

手術

事故

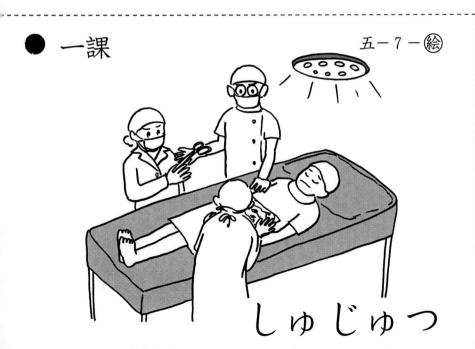

しゅじゅつ

じこ

効 く

薬が効いて、元気になりました。

脈

脈をはかります。

きく

みゃく

救急車

河　口

河の入口です。

きゅうきゅうしゃ

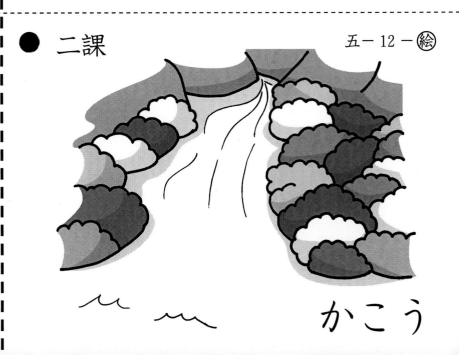

かこう

険しい

予報

天気予報では、明日は晴れです。

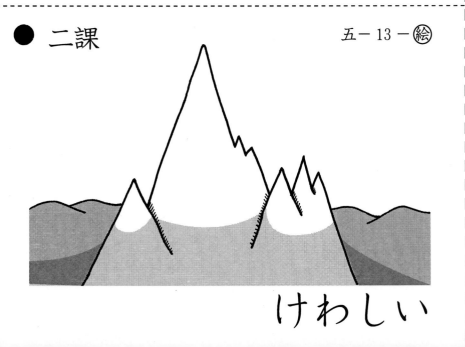

けわしい

よほう

気圧

桜

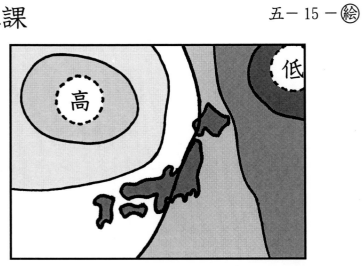

きあつ

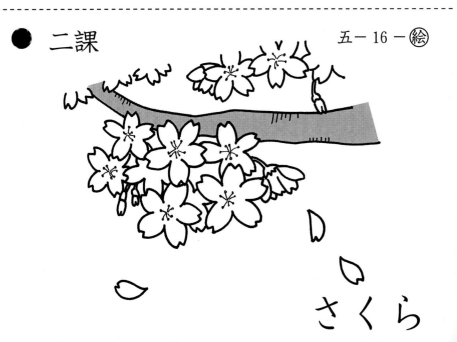

さくら

みき

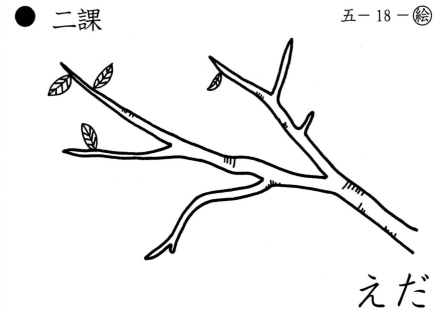

えだ

酸 素

酸素をすいます。

快 晴

雲ひとつない快晴です。

さんそ

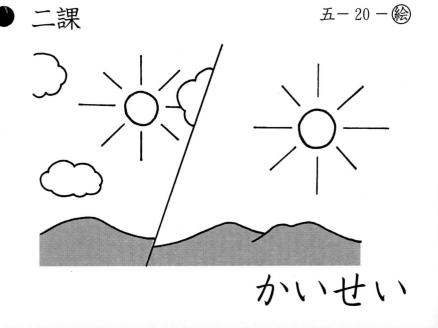

かいせい

肥 料

毒

コブラには毒があります。

ひりょう

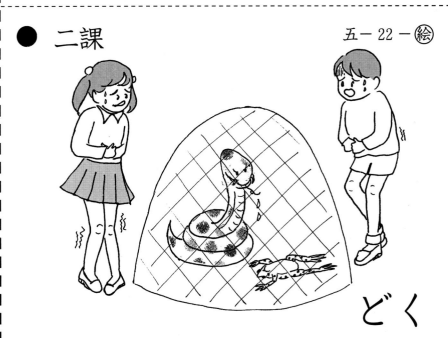

どく

殺 す

薬で害虫を殺す。

夢

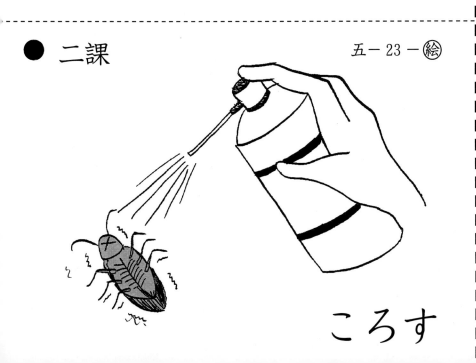

こ ろ す

ゆ め

● 三課　　　　　　　　　　　五－25－㊐

資 格

先生の資格を取りたい。

● 三課　　　　　　　　　　　五－26－㊐

祖 父

● 三課　　　　　　　　　　　五－25－㊐

しかく

● 三課　　　　　　　　　　　五－26－㊐

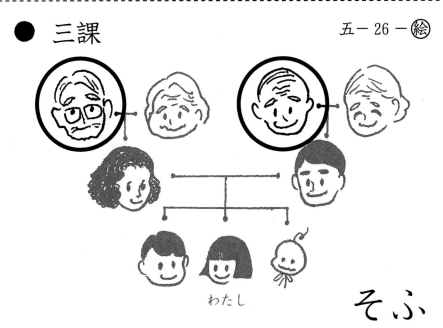

わたし

そふ

経験

おじいさんは、戦争や地しんを経験しました。

年寄り

お年寄りには親切にしましょう。

けいけん

としより

移 る

ブラジルから日本へ移って来ました。

居 間

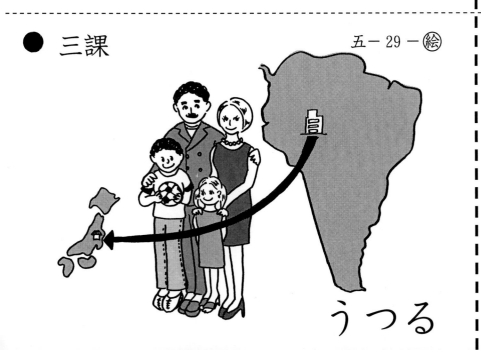

うつる

いま

妻

私の妻

夫　婦

わたし　　　　　　つま

ふうふ

似 る

花子ちゃんは、お母さんによく似ています。

飼 う

犬を飼う。

にる

かう

墓

お墓まいり

財 産

はか

ざいさん

精神

強い精神と強い体

集団

せいしん

しゅうだん

● 四課

個 人

● 四課

招 く

お友だちを招きました。

● 四課

こじん

● 四課

まねく

絶 対

絶対だめ。

友 情

友情をたいせつに。

ぜったい

ゆうじょう

版 画

破 る

はんが

やぶる

貸 す

「あしたまで貸してください。」「どうぞ。」

旧 友

昔の友だち

かす

きゅうゆう

再 会

前に会った人に、もう一度会うこと。

年賀状

さいかい

ねんがじょう

許 可

判 断

良いことと悪いことを判断する。

きょか

はんだん

防　止

犯罪を防止する。

賛　成

「賛成の人は手をあげて。」

ぼうし

さんせい

責 任

子どもを守るのは親の責任です。

事 件

事件が起きる。

せきにん

じけん

暴力

犯罪

どろぼうは犯罪です。

ぼうりょく

はんざい

政　府

日本の政府

国会議事堂

国会議事堂で国の議会が開かれる。

せいふ

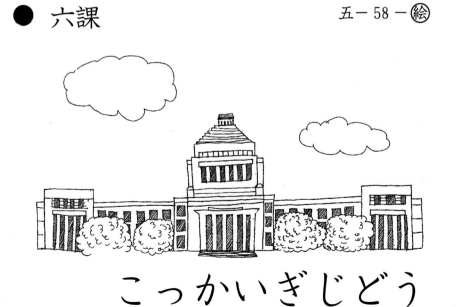

こっかいぎじどう

国 際

国際会議

条 約

国と国がむすぶ約束

こくさい

じょうやく

金属

金属でできた道具

鉱物

鉱物をほる。

きんぞく

こうぶつ

銅メダル

損　害

雨がふらなくて、大きな損害が出た。

どうメダル

そんがい

利 益

100円で買った物を 150円で売ると、
50円の利益です。

税 金

国や住んでいるところにおさめるお金。
買う品物には5％の 消 費税がかかります。

りえき

ぜいきん

義　務

国民の義務を知っていますか。

貯　金

百円玉を貯金します。

教育

納税
のうぜい

投票

ぎむ

ちょきん

綿

綿で作られた物

布

めん

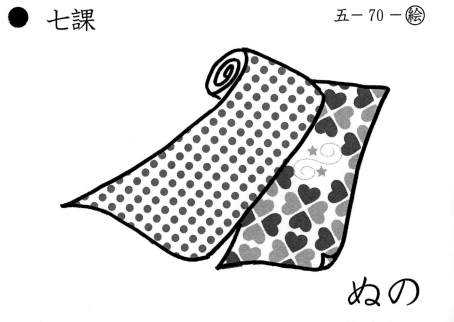

ぬの

豊富

資源が豊富です。

囲む

さくで羊たちを囲む。

ほうふ

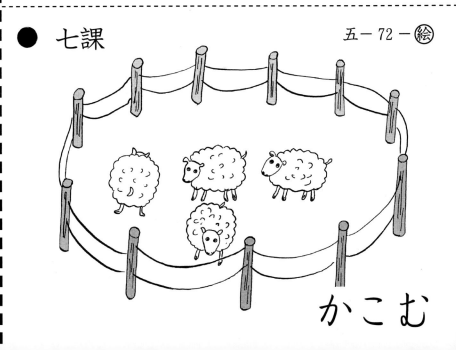

かこむ

貿 易

外国との間で品物を
売ったり買ったりすることです。

製 品

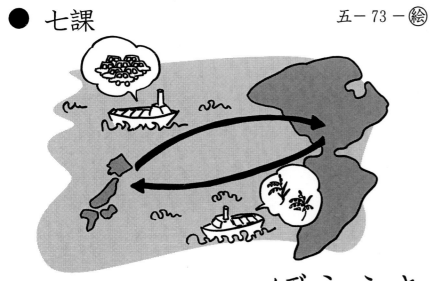

ぼうえき

せいひん

輸出額

機械の輸出額は世界一です。

増える

ゆしゅつがく　　47兆5476億円

	0	5	10	15	20	25兆円

機械類

自動車

精密機械

自動車部品

鉄鋼

有機化合物

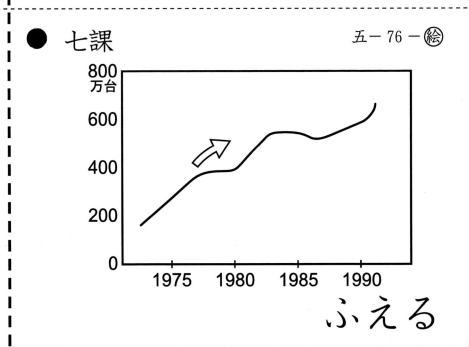

ゆしゅつがく

800万台

600

400

200

0

1975　1980　1985　1990

ふえる

減　る

期　限

期限は 8 月 30 日です。守ってください。

へる

きげん

質 問

応 用

応用問題はむずかしいです。

しつもん

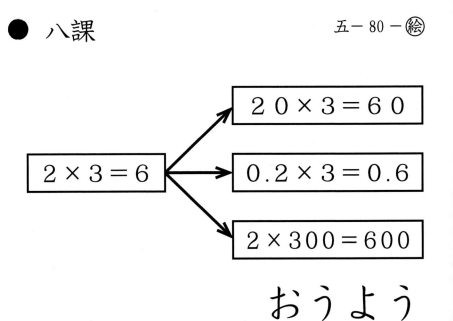

おうよう

仮分数

余 り

$$\frac{3}{2} = 1\frac{1}{2}$$

$$\frac{5}{3} = 1\frac{2}{3}$$

$$\frac{10}{4} = 2\frac{2}{4} = 2\frac{1}{2}$$

かぶんすう

$$23 \div 5 = 4 \cdots 3$$

$$53 \div 7 = 7 \cdots 4$$

$$75 \div 8 = 9 \cdots 3$$

あまり

比べる

測　る

くらべる

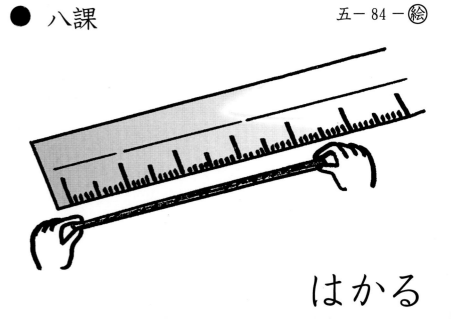

はかる

複 雑

略 す

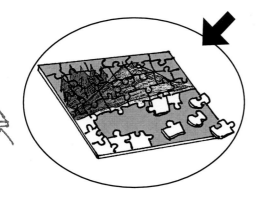

ふくざつ

km	キロメートル	→ キロ
cm	センチメートル	→ センチ
	パーソナル コンピューター	→ パソコン
	テレビジョン	→ テレビ
	デパートメント ストア	→ デパート

りゃくす

率

わりあい。百分率（100%）

正 確

正確にはかる。

日本に住む外国人

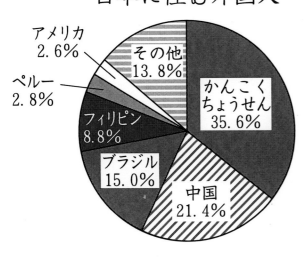

アメリカ 2.6%
その他 13.8%
ペルー 2.8%
フィリピン 8.8%
ブラジル 15.0%
かんこく ちょうせん 35.6%
中国 21.4%

りつ

せいかく

平 均

基 本

読みと書きは国語の基本です。

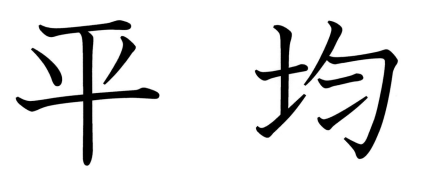

3人のへいきん点は60点

へいきん

きほん

指 示

先生の指示

しじ

順 序

順序よくならぶ。

じゅんじょ

意 志

意志が強い人

内 容

内容がわかります。

いし

ないよう

理 解

わかった。理解した。

わかった！

りかい

張 る

習字を張る。

はる

才　能

音楽の才能がある。

構　成

文の構成

さいのう

① 漢字は、いつどこでで
きたと思いますか。

② 今から三千年以上も前
に、中国でできました。

③ 初めは物の形をかんた
んな絵で表しました。

④ それがだんだん変化し
て今の漢字ができまし
た。

⑤ そしてそれらの漢字を
組み合わせて新しい漢
字を作りました。

こうせい

適　切

適切な説明でよくわかった。

接続語

あっ、そうか！

てきせつ

ぼくはサッカー選手になりたい。だから、毎日練習をしている。

せつぞくご

句 点

厚 い

子供が 走る

くてん

あつい

述　語

金　賞

金賞をもらった。

| 花が | 雨が | } 主語 |
| さく | ふる | } じゅつご |

じゅつご

きんしょう

歴 史

歴史の勉強

世 紀

今は 21 世紀です。

れきし

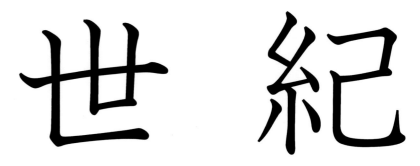

20せいき
1901年～2000年

21せいき
2001年～2100年

せいき

貧しい

戦争の後、日本は貧しかった。

仏　像

まずしい

ぶつぞう

永 久

永久に、名前が残る。

武 士

武士はさむらいのことです。

えいきゅう

ぶし

領土

武士は領土を守るために戦った。

独立

アフリカの多くの国は独立した。

りょうど

どくりつ

勢力

武士の勢力争い

せいりょく

統一

国が統一された。

とういつ

国 境

航 海

航海する。

こっきょう

こうかい

象

象は大きいなあ。

職員室

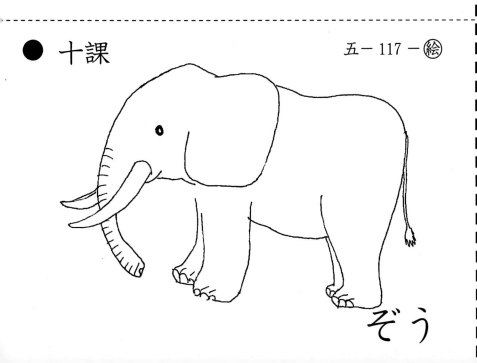

ぞう

しょくいんしつ

教 師

授 業

きょうし

じゅぎょう

修学旅行

日　程

旅行の日程

しゅうがくりょこう

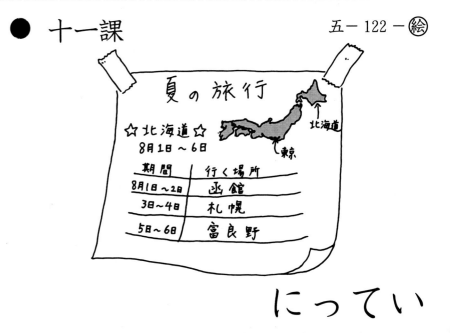

にってい

男性

お弁当

だんせい

おべんとう

パン粉

感　謝

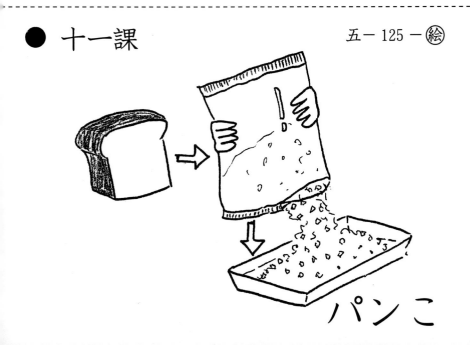

パンこ

お母さん いつも ありがとう

かんしゃ

喜ぶ

校舎

よろこぶ

こうしゃ

興 味

虫に興味があります。

規 則

規則を守りましょう。

きょうみ

きそく

保護者

準備

修学旅行の準備

ほごしゃ

じゅんび

制 服

費 用

遠足の費用はいくらですか。

せいふく

遠足
バス代　￥640
おやつ代￥300
計　　　￥940

ひよう

特　技

提　出

とくぎ

ていしゅつ

知 識

態 度

いい態度と悪い態度

ちしき

たいど

総合

総合学習の時間

卒業証書

そうごう

そつぎょうしょうしょ

指　導

水泳の指導をしている。

成　績

算数の成績が上がりました。

しどう

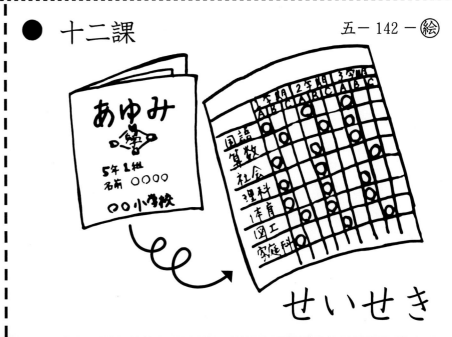

せいせき

逆

逆の方向

評価

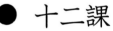

ぎゃく

ひょうか	
1 学期	友達をたくさん作って遊ぶことができました。
2 学期	図書係として本の整理をいっしょうけんめいしました。
3 学期	算数の計算が早くなりました。漢字もたくさんおぼえました。

ひょうか

講　演

過　去

こうえん

みらい
未来

かこ

現在

往復

行きと帰りのこと。

み らい
未来　　　　げんざい

おうふく

停留所

禁　止

ていりゅうじょ

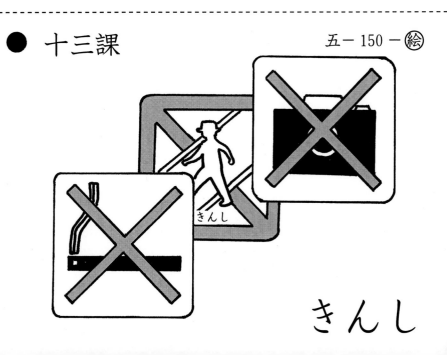

きんし

混 雑

衛 星

こんざつ

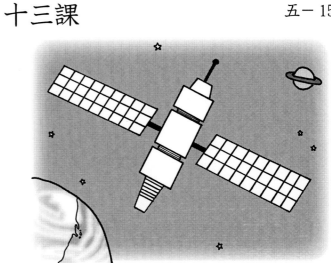

えいせい

耕 す

迷 う

たがやす

まよう

編む

織る

あむ

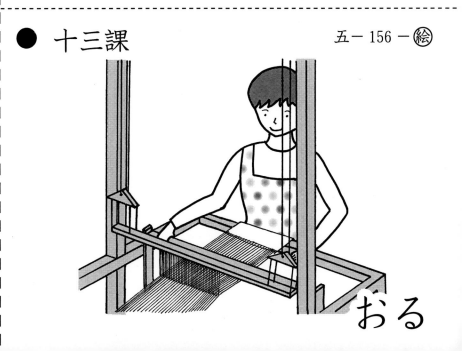

おる

得　意

なわとびが得意です。

広　告

スーパーの広告を見る。

とくい

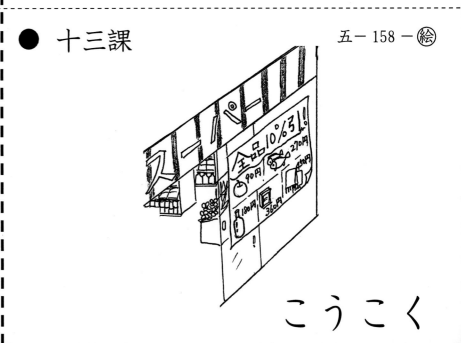

こうこく

大 型

大型トラックが止まっている。

習 慣

決めてやること。

おおがた

しゅうかん

支 店

本店と支店

災 害

地しんやこう水などは災害です。

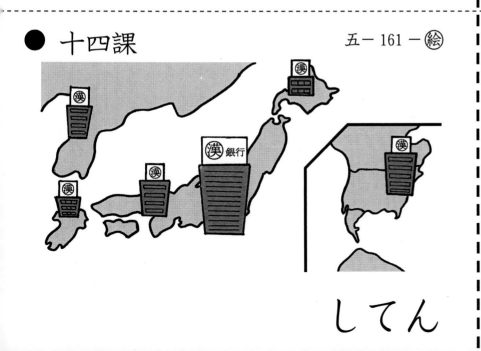

してん

じ
地しん　　こう水　　さいがい
　　　　　ずい

営業

午前九時から午後五時まで営業しています。

朝刊

朝の新聞

えいぎょう

ちょうかん

燃 料

設 計

家の設計をする。

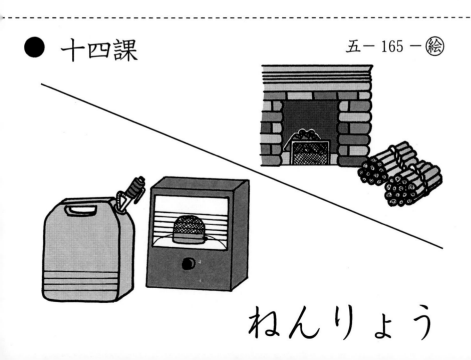

ねんりょう

せっけい

新築

新しい家を建てました。新築しました。

木造

しんちく

もくぞう

非常口

ひじょうぐち